Un mundo raro

Un mundo raro

MARCELA SERRANO

MONDADORI

México, 2000

UN MUNDO RARO
Dos relatos mexicanos

© 2000, Marcela Serrano

D.R. © 2000, por EDITORIAL GRIJALBO, S.A. de C.V.
    (Grijalbo Mondadori)
    Homero núm. 544,
    Chapultepec Morales, 11570
    Miguel Hidalgo, México, D.F.
    www.grijalbo.com.mx

ISBN 970-05-1279-7

IMPRESO EN MÉXICO

ÍNDICE

EL AMOR EN EL TIEMPO
DE LOS DINOSAURIOS

SIN DIOS NI LEY

EL AMOR EN EL TIEMPO
DE LOS DINOSAURIOS

El amor en el tiempo de los dinosaurios fue publicado por entregas en el diario *El País*, España, en agosto del año 2000.

1

Sus cuarenta años eran tan grises como él, como su bigotito ralo, como su traje de tela barata, como el cuello remendado de su camisa, como un cierto tono que adquiría su piel al adentrarse la noche, tan gris como todo el entorno y el acontecer de Pedro Ángel Reyes, carentes por completo de luminosidad.

La mañana del 2 de julio hubiese sido la remolona mañana de un domingo cualquiera, donde por fin la cama habría adquirido un tinte diferente al sobrepasar su puro uso utilitario, un espacio donde volver a tenderse luego del suculento desayuno preparado por Carmen Garza, ganándole a las avaras seis horas de los días de entre semana su puntualidad, retozando un poco dentro de las sábanas tras saborear las ricas enchiladas con pollo y crema, el café fresco en tazón generoso, el pan dulce de las conchas y los garibaldis y, aprovechando la plenitud de la estación, el almibarado sabor del mango de Manila. Quizás incluso podría convencer a la mujer de acompañarlo, siempre que se hubiese consumado su puntual digestión, y lograr un poco de placer matinal —necesito juntar fuerzas, carajo; si no, ¡de dónde las saco!— antes de enfrentar el conocido dilema de qué hacer en los días festivos para que ella se divierta si el dinero es tan escaso y ella tan exigente y yo tan aburrido. Las discusiones entre Carmen Garza y Pedro Ángel Reyes los días domingo eran tan previsibles como el anticipo del lunes evidente y ordenado: el aburrimiento acechando implacable, sin el mínimo disimulo entre el poco espacio libre que regalaban los pesados muebles de pino y felpa que vestían la pequeña casa.

Pero hoy era el 2 de julio, un domingo diferente para todo el territorio mexicano, y Pedro Ángel Reyes tenía frente a sí —por fin— una tarea extraordinaria que cumplir. Su rutina se torcía: saldría muy temprano a la calle, se presentaría en la casilla, la misma donde votó el 97, ahí, a cuatro cuadras de su casa, en el municipio de Huixquilucan, para ejercer la honrosa tarea de representante de su partido. Por primera vez en su vida a cargo de algo que no fueran los inútiles papeles y timbres de la Oficialía, de Partes, a cargo de velar por el triunfo de sus candidatos, los candidatos del pueblo, los candidatos de la nación. Se lo contó a Carmen Garza, se lo contó muchas veces, cuando el jefe fue a hablar con él, se presentó en su oficina, la que compartía con los demás encargados de partes, y preguntó con voz sonora por Reyes; no lo mandó a llamar por el citófono, como lo hacían los mandamases, fue a buscarlo personalmente y lo invitó a un almuerzo, salieron juntos a la calle, y ahí, en el puesto de la esquina, se echaron unos tacos, el jefe y él. Carmen Garza no se lo creyó, ¿para qué va a perder el tiempo tu jefe con un inútil como tú?, le dijo empleando ese mismo tono odioso con que presumía de su apellido, que era tan mexicano, tan plural desde la oligarquía del norte hasta los indios kikapús, los que arrancaron de la persecución gringa en los grandes lagos, todo ese rollo se mandaba, Pedro Ángel Reyes se abstuvo de relatarle toda la conversación, lo amordazaba su promesa, qué difícil guardar silencio; si hablara, quizás esta pinche vieja no lo mirara más en menos. Pero sí le contó que sería representante del partido el día de las elecciones, que su jefe se lo pidió y a la vez el jefe del jefe, y por eso ella le ha preparado un buen desayuno, tempranito en la mañana, para que fuera tranquilo a cumplir con sus deberes de ciudadano. Del voto de ella nada supo, es secreto, fue todo lo que le respondió a su ávida pregunta. La primera votación desde que vivían juntos. ¿Y desde cuándo te importa la política? Carmen Garza le dirigió esa mirada de desprecio a la que ya se había acostumbrado. En tres años que te conozco, es la primera vez que te oigo hablar de este tema. Y para rematarlas, le echó una inapropiada advertencia; ¿no será un poco tarde para subirse al buque?

Aunque el hábito y la economía de Pedro Ángel Reyes le dictaban ducharse cada tercer día, y ya el sábado lo había hecho, esa mañana del domingo 2 de julio fue una excepción: no sólo la larga jornada electoral lo requería, sino también su programa nocturno: el jefe lo había invitado a la misma sede del partido en su municipio a celebrar el triunfo, y allí estaría el jefe del jefe y, a su vez, el otro jefe, el director de departamento, todos los meros del municipio, hasta el presidente municipal daría una vuelta luego de visitar la sede central en el D.F., al menos ésa era la ilusión, y entonces, entre un brindis y otro, por fin se le acercaría a la güera esa, la que trabaja en la oficina de Tránsito; cómo no atreverse en medio de la algarabía a dirigirle la palabra, unas pocas no más, a ver si ella responde; él ya no es un cualquiera, él ha sido invitado a la celebración, ya forma parte del grupo, de los vencedores, su jefe lo incorporará, el trabajito no ha sido en vano, y además se ha pasado el día controlando los votos; no, en los ojos de esa güerita coquetona no cabrá el desdén; muy por el contrario, lo mirará como diciendo: si estás aquí, ya eres uno de los nuestros.

¿Cómo se vestirá hoy la güerita? Le conoce cada uno de sus trajes, el azul con minifalda, el conjunto rosa, la falda café con su saco a cuadros, los va turnando a través de la semana y ya el viernes nadie recuerda qué se puso el lunes; total, siempre se ve bien, con sus piernas cortas pero bien moldeadas y su trasero paradito y contundente. No como la desgreñada Carmen Garza, con sus canas al aire porque no se las pinta a tiempo, odia esa franja grisácea pegada al cráneo, delatando la mentira del amarillo de su pelo, no pues, la de la oficina de Tránsito es güera de a de veras y al menos diez años más joven, sus pechos se sujetan firmes, no es maña del brasier; un hombre como él ya ha aprendido a distinguir, no como los de Carmen Garza, que perdieron la elasticidad hace un buen tiempo, su volumen los traicionó transformándolos en globos interminables. Claro que en su urgencia él los ha gozado, para qué va a decir una cosa por otra, esa mujer es dueña de dos maravillas: los desayunos y la cama, nada más, y como hoy la vida de Pedro Ángel Reyes dará por fin un giro, no renunciará a la güerita sólo por esas dos razones; ¿es que cualquier mujer no prepara un buen desayuno y se pega un buen revolcón? Es lo menos que se puede esperar de ellas, ahora que andan con aires desobedientes, tan desasosegadas, qué diría su padre si aún viviera, el pobre anciano cuya esposa no lo desatendió un solo día de su vida, que frente a todas sus ocurrencias agachó la cabeza, afirmó, dijo que sí, aunque no llegara a dormir en la noche, aunque se emborrachara, allí estaba ella siempre, esperándolo calladita con sus trenzas peinadas, con las tortillas calientes en el comal y el guisado preparado en la estufa, siempre adentro de la casa, cuidándolo, agasajándolo. Es lo menos que le debo a "mi señor", decía.

¿Por qué no le tocaron esos tiempos a él? De haber nacido antes, Carmen Garza no se andaría con tonterías, ni en broma tendría el atrevimiento de hablarle a su hombre con esa malicia aunque él no fuese su marido con todas las de la ley, su traje gris estaría siempre bien planchado, quizás hasta camisa podría cambiarse todos los días, y si los zapatos estuvieran lustrados no gastaría dinero en los boleros. Y las sábanas… ¿Es mucho pedir que las alisara como lo hacía su madre, nunca una arruga, nunca un doblez, adentrarse en ellas como si fuesen agua cristalina? Pero lo peor es que lo humille, que lo crea un incapaz, que lo sienta invisible si camina entre los demás, que lo trate como a un pendejo; sí, lo peor es que se le niegue. ¿Lo habrá hecho alguna vez su santa madre, que Dios guarde en el cielo? Su casa de infancia, allá en Ciudad Victoria, tenía las paredes muy delgadas, la habitación de él y sus hermanos sólo se separaba de la de sus padres por una cortina de tela, y ya desde pequeño era insomne, o quizá nunca aprendió a dormir temprano esperando los ruidos, aquellos que te ponían la sangre a hervir; sin embargo, siempre provenían de su padre; si le hace justicia a sus recuerdos, su madre fue silenciosa incluso entonces.

Pero hoy es domingo, día de elecciones, y la venganza se acerca. Pedro Ángel Reyes guarda los resentimientos como adentro de la caja de un joyero, cerrando cuidadoso la cubierta, y corta el agua de la ducha con un desconocido y nuevo optimismo.

2

Erguida, lo que es erguida, nunca estuvo su columna vertebral, siempre un poco encorvada, blanda, como si una cierta derrota se instalara en esos huesos. Pero al salir a la calle y respirar el frescor de aquella mañana del 2 de julio se enderezó, sacó el pecho como si pudiera generar una nueva musculatura, una nueva estructura ósea y también se inventó una nueva mirada, recogiendo en ella todas las semillas mal nacidas que lo poblaban, escondiéndolas, estirando el cuerpo y ensayando un paso que podría haberse calificado como algo cercano a lo elástico. Aún le torturaba la inútil erección matinal, la negativa de Carmen Garza, a pesar de sus esfuerzos por contentarla en la más difícil de las performances, porque no era mujer fácil en ningún aspecto; para encenderla había que ser un verdadero gimnasta olímpico, obligándolo a acrobacias ridículas e imposibles, aunque, una vez logradas, ella se prodigara como pocas. Pagar era más fácil, piensa Pedro Ángel Reyes, quien durante años se había tendido muy cómodo sobre lechos de dudosa limpieza y sin hacer el más mínimo esfuerzo —sólo el de ganar los pesos que pagaba a cambio— había apaciguado sus permanentes urgencias, convencido de que el diablo se apoderó de su deseo muy temprano y que el infierno mismo le enviaba esta continua lascivia de la que no lograba desprenderse. Una cosa sí lo aterrorizaba: que en la oficina lo descubrieran, que alguno de sus compañeros notara el bulto en sus pantalones cada vez que una mujer apetecible se acercaba a las ventanillas, cada vez que la güerita cruzaba el pasillo contoneándose sin recato, ostentosamente.

Para el curso electoral al que había sido invitado por su jefe para preparar el buen desempeño del día de hoy, la güerita llegó tarde el primer día y, muy displicente, recorrió con sus ojazos el recinto buscando un lugar donde sentarse. El único asiento vacío que quedaba a esa hora era ahí, justo ahí, al lado de Pedro Ángel Reyes, y mientras ella se acomodaba y meneaba sus piernas bien moldeadas, muy vistosas bajo la minifalda del traje azul, su corazón, previsiblemente, comenzó a galopar. La carne, la promesa de la carne, la buena carne. Conocía de memoria el efecto de aquel galope, podía incluso cronometrarlo, por lo que alcanzó unos papeles impresos que descansaban sobre la pequeña mesa frente a su silla y los instaló disimuladamente sobre su regazo, protegiéndose de cualquier indiscreción. Poco y nada logró escuchar del discurso y las instrucciones que se impartían en la sala, pero su pose de atención resultaba indesmentible. Al terminar la sesión, se puso rápido de pie e intentó, con un gesto galante, retirar la silla donde se sentaba la güerita, pero ésta lo despachó con una implacable mirada de desdén, tomando con sus propias manos el asiento y levantándose en el acto.

Las calles están casi vacías y se respira en ellas una cierta contención. Es muy temprano para que los niños jueguen fuera de sus casas, el abandono ayuda a impregnarlas de un leve aire fantasmal. Sin olvidar su nuevo paso erguido, como si una espada de hierro se atara a su espalda. Pedro Ángel Reyes camina hacia la casa donde lo espera su casilla. Sólo cuatro cuadras, no tardará en llegar.

De pronto, el apacible silencio matinal se interrumpe y una motocicleta roja y negra arrastra rápida su ruidosa prepotencia por la próxima calle, la que Pedro Reyes deberá cruzar. ¿De dónde salió ese gato? Él no alcanzó a verlo, sólo escuchó su aullido cuando la motocicleta tambaleó un poco, arrollándolo. El motociclista no se inmuta y sigue su camino, dejando una estela amarilla a sus espaldas, la del color de su chamarra, y a él como único testigo. Se acerca y su lábil corazón se estrecha al escuchar los gemidos agonizantes. Manchas oscuras tiñen las rayas sobre el pelaje amarillo, bonito ejemplar el pobre gato. Pero la imagen de la sangre lo desconcierta. El cuerpo de Carmen Garza golpea su visión como un saco de piel. Y mientras aumenta el charco circular alrededor del animal, él se acuclilla sin arrodillarse, no debe ensuciar el pantalón, lucir respetable hoy en las casillas es la consigna. Las entrañas del gato se esparcen por la calle, un nuevo golpe de visión y los cuerpos de sus compañeros de oficina revientan sobre el pavimento. Zancadilla tras zancadilla, la vida entera de Pedro Ángel Reyes es como la sensación de andar descalzo, cuando cada paso debiera darse con los pies cubiertos, la pena de mirarse casi mutilado porque los ojos de sus compañeros saltan sobre él, más allá de él, lo ignoran, lo ignoran y no dejan de ignorarlo, esos pies desguarnecidos, estáticos mientras los demás avanzan, esos pies detenidos en su desnudez por la vergüenza de que te los miren, de que te apunten, mira, allá va ése, sin zapatos. Y cuando hoy amanecía, cuando su cuerpo desaseado le advirtió en la cama la necesidad del deseo, cuando arrimó su cabeza al pecho de Carmen Garza, ésta le espetó: tu pelo huele a ratón.

No debe tocar al gato, no debe tocar la sangre.

Hoy es día de la venganza.

Esta noche la güerita acudirá a la fiesta de celebración, ya le advirtió que allí conversarían, se lo dijo en la última sesión del curso cuando casi por hábito volvió a elegir el mismo lugar a su lado, cuando por fin ella reparó en su presencia aceptando que le levantase la silla en la más primitiva de las galanterías. También trabajo en el municipio, le dijo Pedro Ángel Reyes, imperdonable habría resultado dejar pasar el instante en que lo vio, al fin, lo vio y lo miró, en la Oficialía de Partes; qué casualidad, sí, qué casualidad, eres uno de los nuestros; sí, sí, soy de los vuestros, soy de alguien; sí, tuyo. El domingo ganaremos; sí, a celebrarlo, sí, ¿cuántos votos has conseguido?, varios, bastantes, muchos, ni sé por quién vota mi propia mujer, soy un mentiroso, pero si pudiera, los falsifico; todo para contentar a la güerita, a mi jefe, para que cumpla la promesa de subirme el sueldo después del trabajito que le hice, no fue tan fácil, desaparecer esos papeles podría resultarme caro; después de todo soy el único que los maneja, pinches papeles, de algo me sirvieron, el jefe no olvida los favores, así me lo dijo, y ahora, mañana mismo, me dará el ascenso; no es una pura cuestión de sueldo, hacerme de la güerita es más que un sueldo, zafarme de la vieja es más que un sueldo, el prestigio frente a mis compañeros es mucho más que un sueldo.

Se extinguen los gemidos, el gato ya está muerto y rematado. Debe arrancarse de las pupilas el color de la sangre. Debe seguir su camino, enhiesto con la invisible espada a cuestas, ignorar esas entrañas repartidas en el pavimento, esos intestinos despanzurrados, hacer caso omiso de esa carne pobre, fea y desparramada que de alguna forma oblicua le recuerda la suya. Y la de Carmen Garza, esquiva la muy perla, opaca y desafinada como la trompeta de un mariachi viejo. Su voluntad esta mañana es inquebrantable. Unas pocas cuadras, y ya está. Pero le resulta difícil abandonar el cadáver del gato en plena calle; en su infancia él enterraba a los animales muertos, siempre lo hizo, por principio. Buscaba cajas de cartón en el desperdicio y las convertía en ataúdes, con la pala de su padre cavaba pequeñas tumbas agujeros y les daba la más digna sepultura. Incluso cuando enterró a su perro, un callejero que recogió en un basural, le sumó a la tierra una estampa de la Virgen de Guadalupe. Pero el perro le pertenecía y este gato es ajeno. Al menos moverlo, correrlo hacia la vereda, que no vuelvan a arrollarlo, cuántas muertes deberá sufrir el pobre. Con cautela, le tomó la cabeza, la cabeza no está aplastada; sin levantar el cuerpo lo arrastra poco a poco, lentamente, hasta depositarlo en la acera. Lo mueve aún un poco más para que el tronco de un árbol lo proteja. Casi una sepultura. Orgulloso, se pone de pie; la tarea, cumplida. Advierte en su mano derecha una pequeña mancha de sangre. A falta de pañuelo, introduce la mano al bolsillo del pantalón, re-fregándola allí dentro hasta limpiarla. Entonces, ya puede seguir la huella.

Apura el paso. Para que el camino se hiciera más corto, empezó a contar las filas de adoquines, pero luego de cinco minutos recapacitó, pues no llegó a ningún número concreto. No importa, ya ha llegado a la casa indicada. La casilla está en orden, todo a tiempo para dar inicio al proceso. Los otros se le han adelantado y él es el último, todo por culpa del gato. Detecta de inmediato a aquellos que le advirtieron serían sus dos adversarios, lo explicó el jefe, no debe perder de vista ninguna de sus acciones, pueden ser peligrosos, ponerse necios y limitar su margen de maniobra. Ya en el curso preparatorio le enseñaron todas las formas de fraude posible —las que uno puede hacer, que el profesor llamó "activas" y las que puede implementar el adversario bautizadas como "pasivas"—. Ése fue el día en que la güerita no asistió y él puso atención a todo lo que enseñaron. Un mundo nuevo para Pedro Ángel Reyes, nuevo, extraño, inconmensurable. Tantas veces durante su vida acudió a votar sin ninguna conciencia de lo que ocurría tras el voto, es más, nunca reparó en los representantes de los partidos. Hoy, él es uno de ellos y quizá vengan a votar personas que tampoco sepan cuánto se juega en este día, que desconozcan la enorme parafernalia que existe tras una simple papeleta y que, por supuesto, tampoco reparen en él. Lo piensa dos veces y una sonrisa se le escapa de los labios transformada en mueca, como si alguna vez él hubiese merecido mayor reparo, ¿puede un día de elecciones cambiar tanto como las miradas en las pupilas ajenas?

Gordo, muy gordo, su barba no ha sido afeitada al menos en tres o cuatro días y su pelo largo cuelga grasoso hasta los hombros. Allen Ginsberg, dijo cuando se presentó, llámeme licenciado Ginsberg. Pedro Ángel Reyes lo mira sorprendido, no tiene pinta de gringo para llevar ese nombre; es más, en una prueba de blancura, él le gana. Si su padre es gringo, salió a su madre, qué duda cabe, azteca pura. El otro se las da de señorito, todo su atuendo lo grita a veces como también sus facciones claras, no pensó en arreglarse ni acicalarse en un día como éste, y yo que me puse el terno y la corbata, ni siquiera van muy limpios sus vaqueros, pero reconozco la impecabilidad de su camisa celeste, idéntica a la que exhibe su candidato en la tele. Ambos miran a Pedro Ángel Reyes con desconfianza, aunque entre ellos tampoco lo hacen mal. Con fastidio reconocen su legítima presencia en el local y él se pregunta, aunque el jefe se lo haya prevenido, cómo puede un ser humano desconfiar de otro sin conocerlo, sin poseer ningún antecedente previo. ¿Te parece poco antecedente el partido al que representas, Reyes, eres buey o te haces?

"Cayeron de rodillas en catedrales sin esperanza rogando por su mutua salvación y la luz y los pechos, hasta que el alma les iluminó el pelo por un instante." Miró al gordo sentado a su lado, los botones de la camisa batallando contra el vientre para no explotar, y con humildad se excusa, no ha entendido el significado de sus palabras. No importa, soy poeta, fue toda la respuesta del otro. Supuso que con eso bastaba, que una licencia tácita envolvía al gordo y no a él, que se empeñaba tanto en su dicción y en el sentido común de cada uno de sus decires. Se distrajo en las capas de grasa que cubrían ese cuerpo, en la falta de agilidad de esos pliegues, ¿cómo se cogería a una mujer difícil como Carmen Garza?, ¿qué resentimientos profundos guarda un ser con ese volumen? Los gordos se inventan a sí mismos una aceptación que nunca es cierta, nadie se ufana definitivamente de tales dimensiones, sino los que ya se entregaron, los que no quieren más guerra, los que han decidido dejar de gustarse.

Una bocanada de humo lo ahoga. El señorito de los vaqueros ataca un paquete de Marlboro rojo, el muy macho no fumaría light, y sin ofrecerle a nadie, ha encendido un cigarrillo y comienza a aspirarlo con enorme placer. Lentamente deposita el humo sobre el rostro de Pedro Ángel Reyes. La pequeña tos de éste, irreprimible, no lo disuade. Mira aburrido a los votantes mientras fuma, su falta de conocimiento de este rincón del municipio es obvia y no pretende disimularla. Sólo cumple un trámite y como tal actúa, dejando muy claro que parte importante de aquel trámite consiste en demostrar una arrogancia y una falsa displicencia hacia el señor de bigote ralo y gris que se sienta a su lado. Su enemigo principal eres tú, Reyes, ¿no te asombra tal categoría?

"Regresando años más tarde calvos con una peluca de sangre y lágrimas y dedos, a la visible condena del loco de las salas de los manicomios del este." Ya, esta vez no preguntará nada, que continúe el poeta, total, nadie le hace caso, y menos que nadie el señorito. Fue entonces que apareció esa mujer. Una morena de ojos grandes y anchas caderas, una María Félix actualizada en versión Huixquilucan. Traía refrescos en una bolsa de malla y unos pequeños envoltorios cubiertos por servilletas blancas. Ante el estupor de Pedro Ángel Reyes, se dirigió sin titubeos hacia él. Tendrá hambre ya, compañero, le dicen esos labios carnosos y pintados, y haciendo caso omiso de las miradas del poeta gordo y del señorito arrogante, abre la bolsa, destapa con agilidad una Lift y desenvuelve una torta tentadora, un bolillo donde asoman trozos de jamón, huevo, frijoles, tomate y carne. Recién al entregárselos parece tomar nota de las otras presencias, y con una sonrisa fácil los despacha, ustedes tendrán quién les traiga comida, y punto. Claro, cómo no se dio cuenta lo grande que era su hambre, lo devoraría todo, todo, torta, Lift y, si pudiera, María Félix incluida, este ángel caído del cielo sólo para mí; cómo no me metí en la política antes, de haber sabido que así venía la mano, cuánto tiempo desperdiciado, cuánto, Dios mío.

Hazme cancha, morenito, sí, eso le dijo; no es que Pedro Ángel Reyes sueñe, se lo dijo así, mientras introducía un muslo en la punta de su silla.

Con rapidez automática, porque el cerebro ya le había dejado de funcionar, él mueve sus huesos hacia un costado, haciéndole lugar. De pronto, siente la pierna de María Félix contra la suya. Cree que va a atragantarse cuando la presión de esa pierna insiste, el jamón se atora en su garganta y toma un trago de Lift. La erección, carajo, ya, ahí está, debajo de la mesa, ¡cómo mierdas la disimulo! Come tranquilo, le susurró ella comprensiva, además de hermosa, además de rica —una auténtica mamacita—, además de generosa, es comprensiva; ¿será a este pobre servidor que le está sucediendo cuando nunca me sucede nada, cómo es posible, tanto poder da el partido, de la noche a la mañana me torné irresistible? Terminada la torta, por fin, la pierna aún instalada contra la suya, busca una servilleta para limpiarse manos y boca. Ella se la entrega solícita, como si adivinara sus pensamientos. Y fue entonces el momento bendito, aquél en que ella toma su mano derecha y con boquita fruncida, entre que suspira y se queja, ¡tienes sangre en tu mano! ¿De un gato? Ven, ven conmigo, yo te la limpiaré.

El saco ayudó, al menos pudo levantarse del asiento con cierta dignidad, tirando de él, escondiendo su bulto como ya sabía hacerlo y abandonar así su puesto. Caminar tras la mujer hacia los lavabos, siguiéndola como el más fiel y domesticado de los perros. Ella parecía conocer bien el camino.

Manita, manita, sólo una lavadita, canturreaba María Félix adentro del baño, mirando por aquí, por allá, haciendo caso omiso de un par de hombres que, con justo derecho, la miraron raro, estaban en territorio masculino después de todo; pero, maravillosa ella, no se complicaba. Tomó su mano, abrió la llave del pequeño y blanco lavatorio, dejó correr el agua como si la frescura fuese relevante para la sangre seca de aquella mano derecha, la sangre del gato, y sacando un pañuelo limpio de un pequeño bolso que pendía de su hombro, se abocó a su trabajo cual María Magdalena a las heridas de Jesús. El calor en el agitado cuerpo de Pedro Ángel Reyes ardía encendido, refulgía sin ton ni son, irradiando la sala de baño de tal modo que si no actuaba, si no tomaba alguna medida ya la convertiría, sin refracción posible, en el centro mismo de una explosión. El pobre Reyes, desgraciado, no olvida que desde el amanecer el deseo, inútilmente, late.

4

A esa hora el sol restallaba y dentro del baño de hombres la sombra de la María Félix local se proyectaba sinuosa sobre las baldosas, empeñada como estaba en su trabajo de limpieza. La sombra y él formaban un solo cuerpo sólido. La operación de desprender cada pequeña partícula de sangre desafortunada y reseca duró una eternidad, no fue la imaginación de Pedro Ángel Reyes quien la prolongó, innecesaria tanta meticulosidad si sólo de eso se trataba, congregada ella en torno a un objetivo casi invisible, apoderándose de un tiempo manso pero fijo, un tiempo duro. Su fantasía corrió lejos, más allá de la sala de baño, de las casillas, del poeta gordo y del señorito de camisa celeste, más allá de Huixquilucan, del Estado de México, de todo el territorio nacional hasta apuntar al cielo mismo. Con una rapidez atemporal, se coló en su fantasía el culo de la güerita, sí, él sabía que el jefe se la tiraba, su compañero de ventanilla se lo contó en la oficina, pero ahora que se aproximaba la victoria y con ella el ascenso, mujer y puesto podrían ser suyos, desbancar al jefe con esta potencia loca que percibe en sí mismo, irrefrenable y total. Emborrachado de poder y de deseo, tuvo la osadía de estirar su mano libre, la que nunca tuvo manchas de sangre gatuna, y ahí, a su alcance, encontró uno de los pechos de la morena, terso y maduro a su vez, material perfecto, como un durazno en sazón. Los enormes globos de Carmen Garza, aquellos que rozó esta mañana mientras juzgaba que en su demasía estarían a punto de desinflarse, pero qué va, eran los únicos que tenía, no iba a regodearse, atravesaron la memoria del tacto y ante tal comparación la fantasía no sólo alcanzó el cielo sino lo rompió, convirtiéndolo en miles y miles de pedazos.

—No tan de prisa, amigo.

Era su voz, siempre comprensiva y atenta, pero con una firmeza recién inaugurada. Levantó los ojos hacia él, sin desprenderse de la mano mojada, y su mirada era de reprobación, sí, no cabe duda, como una madre al niño que está a punto de cometer una travesura.

—No seas así, hombre, ahorita no.

Unos segundos después lo decidió, ya, órale, estás listo, y cuando hubo terminado de secarlo, Pedro Ángel Reyes musitó torpemente que necesitaba entrar al urinario. Recuperando su sonrisa alegre, roja y pintada, ella prometió esperarlo a la salida. La urgencia con que se abrió el pantalón, ya resguardado de cualquier mirada indiscreta, habría resultado patética para quien ignorara su padecer. Un roce leve, mínimo, le produjo un enorme alivio. No, no se sentía capaz de esperar hasta la noche; cuando Carmen Garza lo rechazó esa mañana, su primer impulso fue encerrarse en el baño y acabar la tortura, como era su hábito, pero lo pensó dos veces y desistió, con un poco de esfuerzo resultaría un verdadero semental esa noche, sólo con un poco de control para con su loca voluntad. Pero ahora ya no aguantaba más, no luego de esa morena, forzosamente única, fuera de todo registro previo, impensable en su anterior existencia. Sí, hace un momento la tocó, la tocó, y no debió pagar por ello.

Cerró los ojos con enorme deleite, ya, comencemos, por fin el delirio abandonará su categoría de espejismo. Y en ese instante, desde la suciedad y aislamiento del urinario, escuchó un enorme grito dentro del baño.

—¡Reyes! ¡Reeeyeees!

Era la voz de su jefe, el grito diabólico de su jefe.

—¡Pinche cabrón! ¿Dónde carajos te has metido?

Pedro Ángel Reyes cerró su pantalón en un santiamén y, como si lo hubiesen sumergido en un bloque de hielo, olvidó su calentura, dejándola una vez más suspendida. Salió del pequeño cuarto maloliente y recordó de tirar de la cadena para darle verosimilitud a su estadía en aquel lugar.

—Estaba meando jefe, ¿por qué tanto griterío?

Recordando más tarde el episodio, pensó que por algo el jefe era el jefe. Había llegado hace media hora al recinto, encontrando la casilla abandonada, sin representante del partido resguardando el proceso. ¡Qué cantidad de cosas pueden hacerse en media hora!, ¿cuánto "fraude pasivo" puede padecer el partido de un representante desertor? Al menos, así lo juzgó su superior, un poco paranoico a los ojos de Pedro Ángel Reyes. ¡Un regalo! Media hora de regalo para sus adversarios, media hora para el poeta gordo, media hora para el señorito arrogante, ¡qué no puede hacerse durante una elección en treinta largos minutos!

—¡Cómo fui a confiar en ti, Reyes, si eres y has sido siempre un pendejo!

En su confusa e improvisada defensa, culpó a la morena, que no se divisaba en la puerta del baño como lo había prometido. Que la mano sucia, que la sangre del gato, que era preciso lavarla, que para qué me la enviaron a dejarme comida. Entonces el jefe lo miró como si su subalterno estuviese alucinando. Nadie le había enviado comida. Ninguna morena tenía órdenes ni de él ni del partido. ¿De qué mujer hablaba Reyes, es que había enloquecido definitivamente? Buscó con los ojos, recorrió el local entero y pues no, no había morena alguna que atestiguara su relato, como si literalmente se hubiese esfumado. También él llegó a dudar de su propia cordura. Y si la morena, la puta esa, dijo el jefe, te hubiese querido demorar más, lo habría logrado, qué duda cabía. Ante esa acusación, Pedro Ángel Reyes guardó silencio. Claro, el otro debía de guardar dentro de sí el olor mismo de la güerita, resulta fácil acusar al prójimo cuando la propia humanidad está satisfecha.

Su única preocupación al despedirse del jefe, ya que éste partía a continuar con el control de los locales, fue la esperada celebración de la noche en el partido, no fuera a ser que le retirara la invitación por haberle fallado media hora. ¡Si es que tenemos algo que celebrar, pendejo, volvió a decirle, porque con colaboradores como tú!

Caminó con la cabeza gacha hacia su destino, en miserable confusión. No seas así, hombre, ahorita no. Ésas fueron las palabras de María Félix cuando la acarició. Pero, ¿fue realmente una negativa? Sí, Reyes, te rechazó, no lo disfraces. Sin embargo, las cosas podían haber tomado otro rumbo. ¿Y si ella se hubiese prestado para el jugueteo? ¿Cuánto habría tardado él en volver a su puesto? Qué fácil, cerrar con llave la puerta del baño por dentro o, peor aún, irse. Ella podría haber elegido otro lugar, un "vámonos" calladito y ya, Pedro Ángel Reyes abandonando el local de prisa, dejando todo botado. ¿Y si el jefe hubiese llegado a la casilla en ese momento o, no se atreve ni a imaginarlo, al baño de puertas cerradas? El polvo del siglo. Despedido, Reyes, por imbécil. Ni siquiera por irresponsable, no, ¡por imbécil!

Se arruinaba, además, su plan nocturno, tan meticulosamente planeado. ¿Cómo iba a abandonar a Carmen Garza en esas circunstancias?

Librarse de ella había sido la primera idea, lúcida y resplandeciente, cuando el jefe le habló y a cambio del trabajito aquel lo invitó a sumarse a ellos, sin ahorrar detalles sobre las expectativas que se le abrirían. Después de eso, cerraron el pacto y empezó el plan: cómo, luego de compartir la noche con la güerita ese domingo, emborrachados de triunfo ambos, llegaría al día siguiente a casa despreocupado, indiferente, como si fuese un hecho usual el no llegar a dormir, y daría comienzo al primer acto: la tortuosa humillación a una Carmen Garza desvelada, temerosa y angustiada.

Todos sus sueños de grandeza abortados, el municipio victorioso, el país entero por las nubes y él, botado en la acera como el gato, sólo por la liviandad de la carne.

Volvió a su mesa a tomar asiento entre sus dos adversarios. Todo estaba como antes, ni una servilleta, ni el envase de vidrio de la botella de Lift, ¿se estaría enajenando? "¡Santas las soledades de los rascacielos y los pavimentos! ¡Santas las cafeterías llenas de millones! ¡Santos los misteriosos ríos de lágrimas bajo las calles!" Le dieron ganas de callar al licenciado Ginsberg, no estaba su ánimo para poemas de bienvenida. Miró hacia su derecha, de donde provenía el fuerte olor del humo de Marlboro, y notó que algo sí había cambiado: la mirada del señorito de camisa celeste ya no era sólo de arrogancia. Se había instalado en ella la socarronería.

5

A las cinco de la tarde, el cielo tendió a cerrarse, una luz extraordinaria abatió el atardecer por unos meros instantes, como un hechizo retorcido, y luego se escondió coqueta. Cuando el firmamento se puso oscuro, una brisa errante los sacudió perturbadora. Un cierto misterio se instaló en el aire. Y un cierto frío. La inquietud bajó del cielo hacia todo el territorio, dejándolos mudos por un largo momento. Faltaba media hora para efectuar el recuento de los votos cuando un personaje felino, calvo y grandote, cruzó el jardín y se acercó al señorito de la camisa celeste. Le habló al oído, mientras Pedro Ángel Reyes se concentraba en la imagen de una niña pequeña que jugaba con cara bobalicona en un pedazo de pasto seco, como si una mano celeste le hubiese robado todo verdor. El grandote con paso felino no demoró más de tres minutos, uno, dos, tres, eso fue todo. Y cuando abandonó el local, un halo de presagios cruzó el ambiente.

Pasó una media hora errática, corta y larga a la vez, en que los abanderados de cada lista se sumían en diversas preocupaciones. Entonces clausuraron la urna y comenzaron los recuentos, voto a voto, verso a verso, Pedro Ángel Reyes pareció despertar de su aparente letargo y despreocupación, lo que sucedía allí en la mesa de votación no debía estar sucediendo, el escrutinio se apartaba de toda razón. Mientras miraba fijo los números y las sumas, congelado, con un miedo extraño secándole la garganta, recordó a ese locutor tan popular, Nino Canún, el que había acusado por la radio a su presidente municipal, el muy cabrón, aprovechando la impunidad de su voz transmitida por el satélite, denunciaba al alcalde de ser un ratero. ¡Un ratero! Y como si fuera poco, con sorna, se burló, el único ranking en que el presidente municipal podría competir sería en el de ratería porque, sin duda, lo ganaba. Cuando osó comentárselo a su jefe, le pidió tímidamente que se lo explicara. Con paciencia, el jefe le dio una clase magistral de lo que era la política, de por qué se hablaba mal de quienes hacían el bien, y después de eso, cerraron pacto. Ratero.

El partido de Pedro Ángel Reyes perdió. En cambio, el del señorito ganó. Bueno, qué nos extraña, espetó un señor de bigotón a lo Pancho Villa, si tenemos a todos estos ricachones de Interlomas en el municipio. Pero esos ricos son la minoría, le respondió el poeta Ginsberg, Huixquilucan es un municipio pobre por definición. Bueno, los consoló reflexivo el falso Pancho Villa, no se inquieten, nosotros, los mexiquenses, podemos votar mal, pero no así el resto de los mexicanos, sólo en este rincón del Estado de México se ha incubado el veneno de la incomprensión, de la falta de agradecimiento; el país, lo que es el país, es otra cosa.

Convencido de que su experiencia era una excepción, al terminar todo el proceso Pedro

Ángel Reyes reúne sus cosas para partir. Irá a la sede del partido a levantarse el ánimo, a contar cómo en su casilla se han equivocado, cómo precisamente el lugar en que él trabajó resultó un punto aislado en la elección; qué mala suerte, justo en su casilla. Entonces, el señorito de los vaqueros, más arrogante que nunca y excesivamente jubiloso, se levantó de la mesa, tomó su chamarra, casi escondida entre otros enseres. Y de pronto Pedro Ángel Reyes rescata un recuerdo, piensa que viene de muy atrás, hace mucho tiempo, pero no, era de aquella mañana, una chamarra amarilla. La estela amarilla de la moto, el motociclista en la calle vacía y el gato arrollado, el gato dando los últimos aullidos, el cadáver del gato yaciendo con liviandad en el suelo al lado del árbol, descansando en paz, su sepultura.

Pedro Ángel Reyes camina por las calles de la ciudad, vacías aún, la gente está encerrada, quizás asustada, sólo a las ocho de la noche se entregarán los primeros resultados oficiales; antes de ello, nada es verdad, nada es válido, una pinche casilla no significa nada, aunque el municipio contaba con ganarla. Me gustaría pasar por mi casa, arreglarme un poco para la fiesta, ver televisión un rato para husmear el ambiente en que vive el país a estas horas, echarme un poco de colonia, reponerme de este día, sí, tenderme unos minutitos antes de ir al encuentro con la güera. Pero no resistía encontrarse con Carmen Garza, conversar con ella, fingir que todo es normal cuando esta noche él no llegará a dormir y mañana el abandono será inminente. Y menos que nada, enterarla del fracaso de su casilla; ella lo va a esgrimir como una razón más para humillarlo, como si fuese su culpa, como si su presencia allí fuese la causa de que hubiesen perdido. Pero faltan sólo dos cuadras, qué tentación, total, es fácil saber si ella está o no en casa, pasaré a ver, quién sabe. Camina un poco y verifica contento que su hogar está vacío.

Se quita la ropa que lo ahoga a esta hora, se tiende en el lecho conyugal y con el nuevo control remoto enciende la TV buscando la mejor programación, Televisa o Televisión Azteca o Eco; qué hermosura su nuevo y lustroso televisor, ya no recuerda cuántas letras firmó para adquirirlo, no importa, es bello y grande y cuadrado, aunque demore dos años en pagarlo, ya me subirán el sueldo. Y así, se hundió en un sueño profundo.

Lo despertó una sensación de angustia. Con la boca pastosa y la garganta seca y la camisa arrugada y el cuerpo cortado, mira hacia el reloj despertador en el buró: las diez. ¡Las diez y las diez, carajo! Se viste apresurado, olvida la colonia refrescante, ni los dientes se enjuaga, al menos veinte minutos para llegar a la sede del partido. ¿Cómo mierda se durmió así?

Cuando baja del camión sueña con oír los compases de la música ranchera o el himno del partido desde la cuadra de distancia de donde se encuentra la sede, o si no es música, al menos las consignas de sus compañeros, los gritos, pero la noche es el silencio mismo. Avanzando hacia el local, recién comprende el hambre que lo atenaza, sólo un buen desayuno al amanecer y por todo alimento una torta a la hora de la comida.

En la víspera fue testigo de cómo organizaban los manjares para esta noche, ya no falta nada, la güerita estará esperándolo con un buen plato preparado para él. Lástima lo de la ley seca, le habría apetecido una cerveza. Una Victoria, la que sólo se encuentra en México, según la tele.

Están cerrando el local. En grandes bolsas plásticas almacenan la comida intocada mientras los últimos militantes que parten se llevan otras repletas. Las sillas vacías. Las banderas gimen solitarias sobre los lienzos. Los carteles con la fotografía del candidato como una isla donde sólo cabe naufragar. Todo el lugar, un misterio cargado de muerte. La noche cayó con estrépito. Los pocos compañeros que levantaban el local lo instaron a partir y Pedro Ángel Reyes obedeció desganado. Divagó por los barrios sin destino. En la cara de la luna vio la chamarra amarilla. En la tensión de la noche vio el rostro del fin.

Dos horas más tarde vuelve a su casa muy cansado, ha caminado por cualquier calle dejando en cada piedra su paso derrotado. Abre la puerta y piensa que a esa hora incluso el regazo de Carmen Garza lo sosegaría. Un inusitado desorden lo arranca de sus lúgubres cavilaciones. El televisor nuevo. No lo ve. El armario abierto está desocupado. Sobre la cama divisa un papel blanco, se aproxima y reconoce en él la firma de Carmen Garza. En un abrir y cerrar de ojos comprende la magnitud de lo sucedido. Y en el único gesto digno de aquel domingo 2 de julio, arruga el papel sin leerlo y se tiende en la cama a llorar.

Ciudad de México, julio de 2000

SIN DIOS NI LEY

1

Soy mamá de Paulina, embarazada a los trece años por violación. Obstinados, pero también temerosos, los ojos de Laura Gutiérrez quedaron fijos en la fotografía que reproducía la página número 20A del periódico *Reforma* en ese lluvioso atardecer del mes de agosto. *Repudian ley antiaborto mujeres en Guanajuato,* era el título que la precedía. Un relámpago iluminó a lo lejos el horizonte pintándolo de muchos colores, y un halo de rojo, de granate, de magenta y de azul permaneció unos instantes robándole al cielo el derecho a su morada. Con el largo hábito de los juegos adquirido en la infancia pero aún así desconfiada, Laura contó los segundos que separarían tal luz del sonido del trueno;

cuando éste se anunció teatralmente con su solemne retumbar, pudo reconocer su inquietud, es la tormenta, se dijo, si se agita la naturaleza completa, cómo no voy a agitarme yo. Su rostro, generalmente apacible e inexpresivo bajo la gruesa capa de maquillaje, denotaba un blanco palidísimo acompañado de aquel casi imperceptible temblor en los labios, el ceño levemente fruncido y los labios contraídos.

Observó la fotografía. La madre de la niña Paulina sujetaba segura pero sin aspavientos su pancarta, la leyenda escrita sin excesiva preparación ni cuidado, sus ojos impávidos mirando hacia el frente, más allá de los dolores y las humillaciones. Ojos seguros y lejanos, rasgados sobre sus pómulos sobresalientes, toda su negra cabellera jalonada en lo que la fotografía esconde pero que Laura supone una trenza, sin expresión la madre de la niña de trece años de la ciudad de Mexicali que fue violada dos veces durante un asalto a su casa por un hombre bajo los influjos de la heroína y la embarazó. La joven hizo la denuncia ante el Ministerio Público, ya que el Código Penal de su estado, Baja California, autoriza el aborto cuando el embarazo es consecuencia de una violación. Obtuvo dicha autorización pero otros elementos intervinieron: un grupo de mujeres tratando de persuadirla de que no abortara por medio de video explícitos, el párroco recordándole que el aborto provocaría su excomunión y el director del hospital convenciéndola, mediante amenazas, de que corría peligro de muerte, además de esterilidad de por vida en caso de que ésta no le fuera arrebatada. Finalmente Paulina y su madre, aterradas, desistieron de ejercer su derecho legal y ella —hace cuatro meses— tuvo a su bebé, un varón a quien nombró Isaac. Hoy la madre de Paulina acude a la ciudad de Guanajuato con el testimonio de su caso ante el Congreso de aquel estado, manifestando su rechazo a la reforma al Código Penal local, que ha decidido convertir en delito el aborto en casos de violación.

Un resplandor violeta interrumpe el monótono ennegrecimiento del cielo como si lo despejara. Laura Gutiérrez aparta el periódico de sí misma un poco espantada, quizás así logre evitar cualquier contaminación, la tinta del *Reforma* puede extenderse, avanzar por su hogar ordenado durante años con tanto ahínco y oscurecerlo, restarle esa luminosidad por la que ella se ha jugado día a día, colgarse de las blancas sábanas de su cama para ensuciarlas, para alejar aún más el cuerpo cansado de su marido cada noche, cuerpo lacerantemente lejano al suyo, sí, la tinta del *Reforma* robándole el equilibrio aparente, extendiéndose por las habitaciones de su casa como una mano inmensa que estrangula, introduciéndose lentamente en los armarios y en las mesas de noche de sus dos hijos varones para instalarse al fin en el cuello mismo de su princesa, de su hija adolescente, de su Sara Alicia.

No amaina la lluvia, pero es igual, el silencio de la casa la ahoga. Escondiendo con prisa el periódico entre las muchas revistas que descansan en la fina mesita francesa de marquetería en el centro de su dormitorio, baja las escaleras con agilidad, avisa desde la puerta con un grito a la muchacha que se ausentará unos minutos, toma la Cherokee y parte, parte, arrancar hacia el mundo, sentir su bienvenida, su ruido y su murmullo, aunque las nubes insistan en sus reflejos rojos y azules. Avanzar. No piensa a dónde ir. Mecánicamente se dirige hacia la Avenida Palmas y doblando a la derecha se estaciona frente al Sanborns. Una vez dentro del gran almacén recuerda que desconoce la razón que la ha traído hasta aquí, ninguna necesidad a la vista, no importa, desde cuándo ella compra porque necesita, y se detiene frente al anaquel de las revistas extranjeras. Automáticamente alarga su mano y escoge *Vogue*, deslizándose por entre sus páginas sin ninguna convicción, las bellas modelos pasan de largo, desapercibidas, también los abrigos de piel de serpiente para la próxima temporada. Laura Gutiérrez no soporta la palabra *aborto*. La siente hermana de otras palabras que rechaza, como *feminismo*; es como si fermentaran dentro de su propio estómago provocándole acidez. No eran sino un intento de los tiempos para acostumbrar a la mujer a la muerte; a tantas muertes diversas, la de la vida misma, la de un sistema, la de una tradición determinada. Algunas de su sexo se encontraban en condiciones de escapar de esta epidemia, no la necesitaban, como ella, que estaba a salvo de cualquier terrible enfermedad. Ya lo decía el periódico, sobre aquellas reuniones que se estaban efectuando en Guanajuato, eufemístico el periodista, las llamaba *organizaciones de mujeres*, ¿es que el lenguaje oficial nunca las cita por su nombre? Activistas, terroristas. Se anunciaban nuevas movilizaciones hacia El Bajío, llamaban a las mujeres de todo México a participar. Estas cosas preocupaban a Laura Gutiérrez, infiriéndole una ofensa, una herida. Ella siempre supo que ante una adversidad debería arreglárselas sola, sin prensa, sin Estado, sin organizaciones. Porque justamente lo que ellas —las otras— hacían era debilitar los poderes establecidos, para ofender a la Iglesia, para invalidar las leyes, que ya de por sí eran bastante débiles, alterando el orden, atacando la dignidad misma de su género, inventando derechos inexistentes. Todas estas acciones estaban dirigidas personalmente contra ella, contra Laura Gutiérrez.

Al principio había minimizado la importancia de estos movimientos, mirándolos con ciertos desdén, pero con el tiempo había llegado a odiar a estas mujeres estridentes y parlanchinas. De alguna forma ambigua e incomprensible para su entendimiento, se burlaban de ella, la apuntaban con el dedo, obsoleta Laura, tu mundo ya no existe, eso parecían decirle. Como si su Dios fuese incierto, como si quisieran robarle sus sentimentales nociones del bien y el mal, lo poco que le quedaba de inamovible, de férreo, lo único certero que atravesaba los fantasmas de cualquier duda. Como si su inconmovible piedad ya no sirviera, como si su inevitable destino fuese el de alimentarse de vanas ilusiones, envueltas éstas en una irrebatible complacencia. Por eso, de todos los conceptos que se habían puesto de moda en los últimos años, el que le producía más sospechas era el de *derechos humanos*, porque con sólo un cambio, un insignificante cambio, se convertía en el más perturbador: *el derecho sobre el cuerpo*. Si el primer concepto se hubiese atenido —como correspondía— a la idea de los derechos humanitarios del hombre, por cierto, ella lo apoyaba, no era ninguna insensible, estaba en contra del crimen, de la tortura, de la represión. Sin ir más lejos, hoy, a la hora de la comida, su hijo mayor Alberto había discutido con su padre el caso del desafuero del dictador ese, el de Chile, venían en el mismo cuerpo del periódico las noticias sobre él, y su hijo aplaudía que por fin se hiciera justicia en ese lejano país. Y ella, al escucharlos, había estado de acuerdo. Sí, claro que estaba por la justicia, ¡cómo no iba a estarlo! Pero esto de Guanajuato era otra historia. Llamaban a una movilización nacional y si no eran escuchadas recurrirían a una huelga de hambre. Tan sólo una de sus agrupaciones feministas, señalaba una legisladora, agrupa a unas doscientas organizaciones no gubernamentales, por lo que difícilmente podrá detenerse tal movimiento.

Mientras aparecen más prendas confeccionadas en tela de serpientes en las páginas satinadas del *Vogue*, Laura Gutiérrez repasa con rapidez el vértigo con que el mundo ha cambiado y cómo en su propia biografía las cosas fueron tan distintas. En los años tranquilos de su juventud todavía no había feministas y si las había, en su medio nadie se enteraba, eran del todo marginales. ¿Cuándo había cambiado el centro su lugar? O por preguntárselo de otro modo, ¿cuándo había vencido la marginalidad? En el curso de los años no se notó cómo fueron difundiendo su doctrina y ella no se dio cuenta del peligro. Se sentía traicionada, la tomaron por sorpresa, no advirtió su lento crecimiento, sólo abrió los ojos cuando ya era un hecho consumado. ¿Acaso algo habría cambiado si lo hubiese advertido a tiempo? ¿Es que su vida sería distinta? ¿Ponerse al día con los ritmos, por ejemplo? Pero entonces su Dios, ¿qué respuestas le daría Él? Recuerda con qué naturalidad había respondido el día de su matrimonio civil a los imperativos requerimientos del texto de la Epístola de

Melchor Ocampo, del cual hoy hacían mofa. Recuerda también el infinito placer que le causó saber que a partir de ese momento ella le pertenecía a otro, constatar que sería eternamente protegida y mantenida, que la ley así lo establecía. ¿Amada? Ningún código puede prometer algo tan subjetivo, eso ya lo sabe. Lo que no sabe es cómo ocurrió, qué sucedió en el camino para perder ese amor; las otras mujeres nunca le importaron, aquello formaba parte de la naturaleza del hombre, no era el sexo lo que determinaba, a fin de cuentas, la sujeción de un marido a su esposa. Ella era la madre de sus hijos, la consorte legal, la dueña del patrimonio: ella era la esposa y aquello la confirmaba, aunque añorara locamente las expresiones que creía merecer.

Inquieta, se acercó a la caja y compró tres revistas, incluyendo el *Vogue*, comentaría con Sara Alicia la nueva moda de serpientes, a ella le divertiría; agregó un par de aretes de plata con obsidiana, no eran muy finos pero le alivianaban el espíritu, se los pondría esta noche a la hora de la cena con su nueva blusa negra que compró en el último paseo por la calle Masarik. No es que se hiciera demasiadas ilusiones sobre el éxito de retener sobre sí la mirada del marido, pero al menos lo intentaría. Extrajo el teléfono celular mientras la cajera imprimía el vale de la tarjeta de crédito y llamó a casa. Necesitaba escuchar a Sara Alicia, saber que estaba cerca, que estaba bien. La niña entró y volvió a salir, señora, le dice la muchacha No, no dejó dicho adónde iba, pero volvería para la cena. Laura Gutiérrez se arrepintió de la compra del auto, de la firma ante la Delegación para que su hija pudiese conducir a los diecisiete años, ¿cómo no comprendió a tiempo que lo que le había regalado eran enormes alas para volar lejos de ella? Mi niña, mi niña.

Volvió a casa, la tormenta ya amainaba pero ella estaba sola.

2

Protestan en el PAN contra ley antiaborto es el título de la página 4A del periódico del día siguiente, martes 8 de agosto. Y en el centro de la página viene ella, la madre de Paulina de nuevo, esta vez con su hija y su pequeño nieto. Se ve diferente en la fotografía de hoy, lleva un flequillo que le oculta la frente que ayer relucía y su rostro es muy redondo y grueso. Aunque sobre la foto se lee en grandes letras CASO PAULINA: VIOLACIÓN A SU DERECHO, no se les ve sufrientes, es más, el bebé es bello, saludable y risueño, no es que Laura Gutiérrez exagere, pero todos se ven risueños en la fotografía, todos contentos, y se desconcierta, porque se supone que para Paulina y su madre está vedada la alegría.

Se le contrae el estómago.

"Allí donde toques la memoria duele", dijo alguna vez un poeta griego y ella lo guardó en su mente muy bien empaquetado.

La casa, como siempre, está vacía. Alberto salió a su trabajo tan temprano como su padre, a su misma oficina, el futuro dueño de la empresa, supone Laura Gutiérrez, aliviada por el certero porvenir de su hijo mayor. Las clases de Gonzalo empezaban a las nueve y apenas lo alcanzó a besar de paso en la mañana cuando él partía a la Ibero; sólo le faltaban dos años en la carrera de Administración y si los 10 continuaban como hasta ahora, las posibilidades de ser también parte de la empresa familiar eran altas, el rubro de la construcción daba para mucho. Hoy todos decidieron comer fuera, incluso Sara Alicia, avisó que después de clases iría a casa de una amiga, en Cuajimalpa, a hacer un trabajo. Mientras visitara casas vecinas al colegio, no importaba, era tan fácil el camino por Reforma, tomando hacia la carretera de Toluca, la niña lo conocía bien, pero el Periférico aterra a la aprensiva madre, y ni hablar de Insurgentes o de cualquier camino hacia el sur, sabe que la experiencia de conducción de su hija es limitada y lo peor es que ella no lo asuma.

Ha comido sola. Esa gran mesa de piedra para diez personas y ella sola. Cuando volvió de donde Noel, con el pelo bien pintado y peinado, pensó que lo luciría ante su familia, pero recibió los diversos recados, no vendrían. La idea de comer sola siempre la ha deprimido. Debes empezar a acostumbrarte, le advirtió el marido ante sus quejas, pero imposible, no se acostumbraba. Llamó a Paola para comer juntas, pero no, no podía, salía en ese instante a reunirse con su cuñada al Lugar de la Mancha, llamó a Pía, tampoco, ya estaba comprometida con su socia de la boutique. ¡Cómo añoraba Laura Gutiérrez esos tiempos en que se levantaba muy temprano, conducía a los niños al colegio, iba de compras al mercado, ayudaba a la cocinera y disponía los platos y menús, pasaba por el gimnasio, tomaba un café con sus amigas y después de una buena ducha y un poco de acicale esperaba a toda su familia en la mesa! Entonces, todos llegaban.

Empezó la lluvia, otra vez la lluvia, y eran las cinco de la tarde. Desde que en la niñez leyó cierto poema ahora olvidado, siempre sintió que las cinco de la tarde era una hora triste. Más aún si llovía.

La fotografía de Paulina y su madre sigue allí, en el sillón, al alcance de su vista. La vuelve a tomar y compara ambas fisonomías, la suya y la de la madre. Nadie sabe mejor que ella cuánto está envejeciendo y lo monstruoso de la forma en que se acelera este proceso una vez iniciado, cómo ha doblado las horas del gimnasio para que el cuerpo no se transforme en una masa disoluta, los largos momentos de cremas y de maquillaje para esconder una piel opaca que no volverá a brillar, el afán que se toma con la manicura, la depiladora, la masajista, ese ejército de mujeres que la visitan a domicilio para asegurarle una presencia decorosa. No, su sonrisa ya no era una fresca brisa. La madre de Paulina es joven, probablemente tan dedicada a su hija como ella. Sin embargo, la madre de Paulina no accede a su posición, tampoco a su peso ni a su finura, menos aún a su holgura económica. Quizá tampoco a un marido. Y llora a través de la prensa porque no se han respetado los derechos de su hija. Pidió justicia y nadie se la dio.

La única justicia posible es la que se hace con la propia mano, piensa Laura Gutiérrez. Otra vez el estómago se le contrae. Se ahoga. No, no hace calor. No importa, se ahoga igual, un oculto fuego interno la azora. La lluvia sigue. Se levanta del sillón y camina hacia la ventana para abrirla, aunque moje la alfombra afgana y el tapiz nuevo del sofá.

Al momento de hacerlo, un rayo incandescente cayó sobre el patio con inusitada violencia. Laura Gutiérrez retrocedió atemorizada, como frente a una maldición, a un enemigo celestial. Llegó a producirle sorpresa encontrarse sana y salva. Retuvo la respiración y con la boca y los ojos tremendamente abiertos esperó el trueno, el que estalló furioso tras breves instantes. Fueron breves, efectivamente, pero un tiempo distinto quedó instalado en ella. Entre el rayo fatal y el trueno, Laura Gutiérrez alcanzó a vivir una eternidad y lo único que sobrevivía de tal eternidad, pasado ya el estrépito feroz, eran los gritos de Sara Alicia, gritos extrañamente simultáneos, uno montado sobre otro y otro y otro más. Mientras se descargaban las nubes, pesadísimas, el color de la sangre nubló los ojos de Laura Gutiérrez. La ventana permaneció abierta y a través de ella se escuchaban a lo lejos, entre gemidos, voces que gritaban: ¡mamá!

A veces Dios nos vuelve las espaldas, desaparece, como si fuese a tomarse unas vacaciones, pensaba entonces. No podía recurrir a Él si Él no se hallaba en sitio alguno. Y el color de la ausencia resultó más convincente que el de la presencia. Por eso no acudió a su piedad. Fue allí donde aprendió que en la desgracia no existe ni Dios ni ley, sólo se puede recurrir a sí misma y a la fuerza propia. ¿Puede alguien acusarla hoy de haber actuado mal? Su marido viajaba esos días, es peor, ¿podría, de alguna forma oblicua, culparla a ella por todo lo sucedido? Mejor el silencio, siempre es mejor el silencio. Es más, Laura Gutiérrez ya había aprendido —durante el trayecto de sus años matrimoniales— a mentir. Decir la verdad le probó ser innecesario, incluso perjudicial. Patrañas de adolescente, eso terminó siendo para ella tal apego.

Y Sara Alicia. Al momento de los sucesos, no sólo era una niña, aún no cumplía los diecisiete años, sino además era poseedora de una rara característica, cuyo origen habría que buscarlo, dirían los especialistas, en los oscuros y laberínticos recodos de la infancia, que consistía en exhibir todos los flancos, todos los miedos, pecados y debilidades, exponiéndolos de tal manera que no cupiera protección posible, ni siquiera la de ella hacia sí misma. Nunca aprendió a valerse del instinto más básico del que gozan humanos y animales. Y si Laura Gutiérrez hace caso a los manuales de sicología que ha leído, tiene derecho a sospechar que ya no lo aprenderá: o es innato, naces con él, o estarás para siempre a la intemperie. Esto la fue convirtiendo, con el tiempo, en una persona vulnerable.

Nadie conocía mejor tal vulnerabilidad que su madre. Y actuó en consecuencia.

La llamada nocturna, la aterrante, la siempre esperada, la siniestra que Laura Gutiérrez aguardó frente al teléfono durante el crecimiento de cada uno de sus hijos y que sólo llegó con ella, la hija menor, la niña del país de las maravillas, fue ésa la que interrumpió con mortal estrépito la noche blanca en la casa de Las Lomas hace apenas un año. Le había regalado a Sara Alicia un celular, para que lo acarrease siempre, especialmente cuando oscurecía en esta ciudad tan peligrosa, pues ella ya sabía, las amigas le contaban, todos contaban, era el tema preferido en cualquier reunión, las horrorosas condiciones de inseguridad en que vivían, se metían miedo unos a otros, salían enardecidos de las cenas, de las comidas, si pudiésemos matar a todos los delincuentes, si estuviese en nuestras manos limpiar la capital, que los secuestros, los asaltos, los asesinatos; ahora han inventado una nueva fórmula, el secuestro expres, pocos minutos y listo, aquí le tengo a su hijo —a la salida del antro de moda— págueme y se lo devolvemos de inmediato. Compró el celular y se lo entregó. Sara Alicia no tenía autorización para llegar pasada la una de la madrugada, aún no cumplía los diecisiete, no, no importaba si a sus amigas les prolongaban la hora de permiso, a la una, pase lo que pase, y la vuelta a casa siempre organizada, que hoy nos lleva el chofer de Lisette, mañana el hermano de Raquel, pasado el papá de José Antonio, y tú, mamá, si no me regalas un coche te haré salir de la cama, a los dieciséis todo México conduce su propio coche, ¿todo México?, sí, con la autorización especial de los papás, todo México, sólo las niñas fresas se trasladan con sus padres, qué vergüenza, mamá, ya no estoy en edad. Entonces, el celular siempre a la mano por si algo sucede, no lo pierdas, Sara Alicia, ante cualquier sospecha, llama, llama, recuerda ponerlo en tu bolsa, no se te olvide, mi amor.

La llamada no fue del celular.

Era un sábado por la noche, el momento que Sara Alicia esperaba toda la semana, irían al Alebrije, todo bien, el hermano de Raquel las acompañaría, él es mayor, mamá, dieciocho años, mucho mayor. A la una en punto. Pues, fueron al Alebrije, no pudieron entrar, estaba repleto, la fiebre del sábado por la noche. En el Centro Histórico hay buenos antros, vamos para allá. Fue a la salida. Un pequeño camión les bloqueó la calle vacía por donde volvían, no tuvieron alternativa, debieron descender. Tres hombres. No demoraron en reducirlos, Raquel y ella sucumbieron. Era pasada la medianoche, no importaba nada si fuese la una o las tres de la madrugada, sucedió igual.

La llamada la hizo Raquel. Fue la primera en reaccionar, nunca supo lo que ocurrió a su alrededor sino lo que le contaron, ninguno vio nada, cada uno peleaba y se defendía de su propio agresor, tres y tres, ni que lo hubiesen calculado. Raquel no encontró a nadie en su casa, sus padres pasaban el fin de semana en Valle de Bravo, el hermano mayor no llegaba aún. Llamó entonces a casa de Sara Alicia. Ambas sabían —por previas instrucciones— que lo último que debían hacer en una emergencia era acudir a la policía, vivimos en México, les habían reiterado muchas veces los respectivos progenitores. Laura Gutiérrez llegó en la *Cherokee* al lugar indicado. Se deshizo de ambos hermanos lo antes posible que la cortesía dictaba, previa averiguación del estado de salud de cada uno. Hematomas por todo el cuerpo, pequeñas heridas, contusiones. Un tío de ellos era un médico muy conocido, que recurrieran a él, les sugirió, cualquier cosa, musitó en silencio, pero déjenme llevarme a mi niña, llevarme a mi niña, llevarme a mi niña. Y sin ningún ojo testigo ni acusador, se la llevó, en el más profundo silencio, se la llevó, en la más absoluta privacidad, se la llevó. Porque Laura Gutiérrez echó una sola mirada a su hija, tendida en la acera, muda, y supo de inmediato lo que le había sucedido.

3

Frena PAN en Guanajuato su reforma contra aborto. Reforma, fecha miércoles 9 de agosto, página 4A.

¿Ganaron?, se pregunta Laura Gutiérrez a viva voz aunque nadie le escuche, ¿además de todo y aparte de eso, ganaron? Es la primera etapa, vendrán otras, nada está resuelto, Laura. Ya el articulo que despenalizaba el aborto en caso de violación será reintegrado al Código Penal del estado de Guanajuato. Pasa revista rápida al artículo del periódico, no hay fotografía de Paulina ni de su madre hoy, pero se entera sin mucho esfuerzo del resultado de la movilización de las mujeres. Y vendrán nuevos testimonios, no le cabe duda.

Aunque hoy la lluvia ha emprendido su retirada y el cielo oscuro pero seco amenaza sin retaguardia, no encontró a mano un antídoto a ese lento veneno que se llama realidad. ¿Dónde, dónde se encuentra la zona acogedora de la existencia? ¿No había sido su hogar aquel sitio? La casa vacía con sus muebles antiguos y finos, tan inmóvil todo lo que la rodea, pesado, opaco, hijos que llegan como a un hotel, marido para quien ella resulta invisible, aburrido de su esposa hace ya varios años, conversación sólo anecdótica, nunca expansiva porque lo incomoda, jamás presente la subjetividad, el que no siente tampoco ve ni escucha. Los días demasiado largos, las mañanas heroicamente llenas gracias al puro esfuerzo, a la irreductible voluntad, pero igual avanza el sol y llega la tarde, se acaba la imaginación, sólo la recogen esos muros de su casa y se pregunta por qué el día tiene tantas horas.

Afuera, a través de la ventana, los árboles lucen embalsamados de verde frescor. El paisaje urbano se perfila vigoroso como un golpe de sangre, los cielos de azules fríos y ella en su rostro tenía el color del maíz. Presencias irregulares la pueblan: su niña, el médico, la enfermera aquella con los ojos helados, su niña, su niña con la mirada humillada de quien ha sentido demasiado miedo.

Efectivamente, esa misma noche, luego de revisarla minuciosamente en casa, llamó a su médico de cabecera, el que ha visto durante veinte años a la familia entera, el que conoce cada pliegue de cada uno de esos cuerpos, casi intercambiable su papel con el del sacerdote. Una consulta al día siguiente en la clínica privada, radiografías y la promesa de guardar silencio. Nada más. Hasta que el calendario, sin prisas, marcó el mes.

Sara Alicia embarazada. Como Paulina, Sara Alicia embarazada a los dieciséis años por violación. Pero al contrario de la mamá de Paulina, Laura Gutiérrez no recurrió a la ley. Ni a Dios. No recurrió a nadie. Ni al doctor de la familia.

Fue en un almuerzo en Polanco con sus amigas, en el restaurante Isadora. Necesito al mejor médico de la ciudad, un aborto para Genoveva. ¿Por qué al mejor médico si se trata de la muchacha? Porque la quiero como a mi propia hija. Sus amigas la tildaron de santa y ella se retiró con un nombre y un teléfono anotado en su pequeña agenda.

Lo demás no importa.

Lo que sí importaba era la reputación de Sara Alicia, mantener intacta su inocencia. Si se supiera, nadie se casaría nunca contigo. ¿Crees que la niña Paulina de Mexicali accederá algún día al matrimonio? ¿Crees que ella puede caminar por la calle sin que digan, a sus espaldas, allí va, es ella, la de la violación? El estigma, hija mía. Si se supiera, la mancha quedaría en tu nombre y en tu cuerpo para siempre. Si se supiera, mi niña, tu adolescencia terminaría. Rota tu vida, por un crimen, por una tragedia. No, Sara Alicia, no te mereces eso. Ningún ser humano se enterará, de ese modo tú olvidarás. Lo que no se verbaliza no existe. Olvidarás. Olvidarás.

La normalidad en la casa de Las Lomas fue indesmentible, nada en el rostro de Laura

Gutiérrez ni en su expresión la traicionó. Éste no era un problema de su hija, era suyo. La duda no la visitó ni por un instante, salvó a su hija, salvó su cuerpo, su futuro y de paso su honor: lo salvó todo. La pesadez que aquella salvación dejara en la madre no era de sopesarse; el odio por el malhechor que bajó del pequeño camión la noche de un sábado en las calles del Centro Histórico, irredimible. Lo odió cuántas veces respiró, por producirle ese odio que la llevó a odiar. Sin compasión, hasta la eternidad. La indignación moral es inútil, se dijo y se repitió, es un lujo inútil; lo único que sirve es no dejarse derrotar. No se dio cuenta cómo su mirada se fue endureciendo, no recordó cómo la falta de placer entorpece a la gente.

Algunos imprevistos en su delgada cotidianidad la sobresaltaron.

Noche de sábado, una de la mañana, un timbre. Bajó las escaleras. Sara Alicia siempre usaba sus propias llaves, sus hermanos, ni hablar. Era Raquel que sujetaba a su hija de la cintura y ésta reía y reía. Cada risa una bofetada. Su vestido azul muy arrugado y el castaño de su pelo derramado en desorden. La llevó directo a su dormitorio, que su padre no la viese en ese estado. ¿Fue tequila? Pero tú nunca has bebido tequila, ¿qué pasó? Al día siguiente, la niña, ya muy compuesta, le respondió: Es que sólo una parte mía tiene miedo, la otra no cree en él.

No deseaba que la desconfianza la paralizara. Empezó a registrar cada actitud de la niña, cada movimiento, cada uno de sus cajones. Quien busca encuentra, le advertía su abuela en la infancia. Hasta que encontró la hierba. Su primer impulso fue hablar con su marido, el hombre de la casa es el que vela por todos, de eso la convencieron hace ya mucho tiempo, la madre es la encargada de las nimiedades, nada muy pesado. Pero el temor la obligó a callar, su intuición recaía sobre Sara Alicia y su incapacidad para ser discreta. La denuncia de un poco de hierba acabaría esculpiendo acantilados. No, no vale la pena.

Discusiones a la hora de la comida. Alberto y Gonzalo acudiendo al padre, que no puede vestirse así, papá, que es una pendeja, ¿cómo va a andar por la calle con el estómago descubierto? ¡Y esa blusa de lentejuelas con bluyins rotos! ¡Yo no soy tu hermano si te veo, pendeja!, ¿oíste? Una semana más tarde, Sara Alicia llegó a casa con el pelo morado. Directo donde sus hermanos presumiendo de su desvergüenza. Y los eternos fines de semana en que no llegó a dormir. ¿Es que siempre está donde Raquel? ¿Por qué ya no le gusta su casa? Su padre en viajes de negocios, la empresa de construcción cada vez más exigente. Lo final fue el grupo aquel, el de rock, como si la vida y muerte de Sara Alicia dependiera de ellos, con sus chamarras sucias, sus cabellos rapados o hasta la cintura, sus pantalones de cuero y sus ensayos hasta la madrugada. Hard Rock, corregía Sara Alicia si alguien osaba equivocarse. Voces cascadas, miradas errantes. Y ni siquiera pudo controlar el tequila, ya que la niña no dormía en casa los sábados por la noche.

La boca de Laura Gutiérrez ya no tenía labios. Sólo un trazo rígido, sin sangre. Se pregunta y se pregunta cuáles fueron las marcas que la excluyeron.

Pero, en fin, hoy no debe esconder el periódico, la fotografía de Paulina, embarazada a los trece años por violación, no viene en la página 4A. Y hoy no llueve, el horizonte no está desalmado. ¿Es el timbre? ¿A esta hora? Reconoce un movimiento determinado, algo próximo pero dormido. Aguarda. Pero es en vano, nadie entra al salón. Acude a Genoveva, ¿alguien llegó? Sí, la niña, subió a su habitación. Con un anhelo incierto, Laura Gutiérrez espera unos instantes, se humedece los labios y entonces sube las escaleras y avanza hasta la última pieza del pasillo, la de su hija. La encuentra sacando la mochila del clóset. La contempla un instante, está de espaldas a ella, ya ha cumplido los diecisiete años. Viste sus eternos bluyins, sus tenis sucios y desteñidos, ¿no fueron rojos alguna vez? Lleva el pelo sujeto por varios ganchillos, pequeñas trenzas moradas vuelan sobre su cabeza. Su figura es graciosa, sus piernas largas y su trasero redondo muy firme. Laura Gutiérrez no puede dejar de sonreír.

Sara Alicia se sorprende cuando advierte su presencia, casi se diría que le produjo temor. No sabía que estabas en casa, se escuda de inmediato. Siempre estoy en casa, responde la madre, no exenta de cierta amargura, como si su hija no supiera que el ocio se cierne sobre ella, que no tiene adónde ir, que el tiempo no le resulta un regalo. Al ver que la niña empieza a llenar la mochila grande con alguna ropa y elementos de tocador, le pregunta adónde va. No dormiré aquí esta noche, así lo dijo, como si fuese una adulta independiente, hoy es miércoles, mañana tienes clases, sin fuerzas para reprimirla, para reprenderla como se debe, el posible chantaje la hizo perder aquella fuerza, chantaje que la hija no ha utilizado, es más, aunque la madre no desee reconocerlo, hace un año que la hija casi no pelea con ella, no le discute, la verdad es que casi no le habla, sólo lo imprescindible.

Sara Alicia cierra la mochila y se la pone en la espalda, hace sonar las llaves de su auto, nuevo hábito tranquilizador que ha venido adquiriendo en el último tiempo, ah, las alas, las malditas alas, se alisa un mechón de pelo y mira fijo a su madre.

—¿Has visto el periódico? —le pregunta.

—Sí, ya lo leí.

—Entonces, me ahorro las explicaciones. Dile lo que quieras a mi papá.

—¿De qué hablas?

Los ojos de Sara Alicia se detienen en los de su madre: son cálidos, no expresan ofensa ni rabia, son ojos llenos de tonos ondulantes, ojos perfectamente humildes. Pero hay en ellos una cualidad distinta, diferente de ayer y de antes de ayer. Hoy Sara Alicia tiene los ojos diáfanos.

—Adiós, mamá, me voy a Guanajuato.

Tepoztlán, agosto de 2000

Esta obra se terminó de imprimir
en noviembre de 2000, en
Litográfica Ingramex, S.A. de C.V.
Centeno 162-1
Col. Granjas Esmeralda
México, D.F.